Un poule tous, tous poule un !

PKJ·

L'auteur

Fils caché d'une célèbre fée irlandaise et d'un crapaud d'Italie, **Christian Jolibois** est âgé aujourd'hui de 352 ans. Infatigable inventeur d'histoires, menteries et fantaisies, il a provisoirement amarré son trois-mâts *Le Teigneux* dans un petit village de Bourgogne, afin de se consacrer exclusivement à l'écriture. Il parle couramment le cochon, l'arbre, la rose et le poulet.

L'illustrateur

Oiseau de grand travail, racleur d'aquarelles et redoutable ébouriffeur de pinceaux, **Christian Heinrich** arpente volontiers les immenses territoires vierges de sa petite feuille blanche. Il travaille aujourd'hui à Strasbourg et rêve souvent à la mer en bavardant avec les cormorans qui font étape chez lui.

Pour en savoir plus sur nos héros et leurs auteurs, découvre le site des P'tites Poules :
www.lesptitespoules.fr

et la page Facebook de la série :
www.facebook.com/LesPetitesPoules

Loi n° 49-956 du 16 juillet 1949
sur les publications destinées à la jeunesse : octobre 2011

ISBN : 978-2-266-19976-6
Dépôt légal : octobre 2011
Imprimé en France par Pollina - 96967
S19976/12

À mon Bob, c'est-à-dire que bon, d'un sens,
à qui que je pouvais le dédier, ce bouquin sur l'amitié ?
À mon pote ! Et pis c'est tout.

(C. Jolibois)

À Pierre qui roule,
petit Troll(ing) Stones, fort comme un roc.

(C. Heinrich)

À la ferme, c'est l'heure de la tonte.
Sous les rires moqueurs des p'tites poules,
les bergers du roi taillent à grands coups de cisailles
l'épaisse toison des moutons, en chantant à tue-tête :

« Il faut qu'un mouton, un mouton soit tondu.
Approche, mon mignon, tu es le bienvenu.
Encore un mouton, un mouton de tondu,
la la qu'il est moche, maintenant qu'il est tout nu. »

C'est au tour de Bélino, le petit bélier.
– Non ! Je ne veux pas y aller !
Je refuse qu'on me prenne la laine sur le dos !

Pas question pour Carmen et Carmélito
d'abandonner leur copain en si fâcheuse posture.
– Psitt ! Bélino ! Par ici ! Vite !

À peine sorti de l'enclos, le petit bélier
détale comme un lapin.
– Attends-nous ! lui crie Carmen.

En entendant ce tapage, les p'tites poules accourent.
– Il a rencontré un loup ? demande Coquenpâte.
– Non, non ! Une bande de raseurs,
répond Carmen. Bélino possède la laine la plus délicate
et la plus recherchée du troupeau.

– Les bergers aimeraient faire de sa belle toison
une culotte bien chaude pour le roi,
leur apprend Carmélito.

– Fournisseur de Sa Majesté ! Quel honneur !
s'enflamme Pédro le Cormoran.
Coquenpâte et Molédecoq font rire leurs amis
en lançant un joyeux :
« Fesses toujours bien au chaud,
grâce au caleçon de laine Bélino ! »
Hi ! hi ! hi !

Soudain, Liverpoule donne l'alerte :
– 22 ! V'là les bergers !

Cette fois, c'en est trop pour Bélino.
– Mais pourquoi tant de laine ?!

– Bélino, tu es mon meilleur copain, lui dit Carmélito.
Jamais je ne te laisserai tomber ! Suis-moi !
Je connais un endroit où tu n'auras rien à craindre…

… Là-bas, les tondeurs de moutons
n'oseront jamais venir te chercher !
– Je vous accompagne, dit Carmen. Filons !

Alors que le soleil s'apprête à se coucher,
les trois fugitifs pénètrent
dans la mystérieuse contrée des Pierres levées.
Une vieille légende raconte que ces étranges cailloux
seraient des géants endormis...

L'endroit provoque une telle épouvante
qu'aucun homme ne s'y aventure jamais.

– Ici, tu seras en sécurité,
dit le petit coq rose.

Bélino reste pourtant inquiet.
– Oui, mais où va-t-on trouver quelque chose à manger ?
Son copain Carmélito le rassure.
– J'ai pensé à emporter un bon fromage Kipu.

À l'abri d'un gigantesque menhir,
Carmélito aménage un petit nid douillet pour la nuit.
Bélino, lui, s'est jeté avec gourmandise
sur le vieux Kipu !
– Mmmm... Quel fumet délicat !

– Heu !... Gardons-le pour le petit déjeuner,
dit Carmen la maligne...

... Pouah ! Impossible de dormir près de ce piège à asticots !

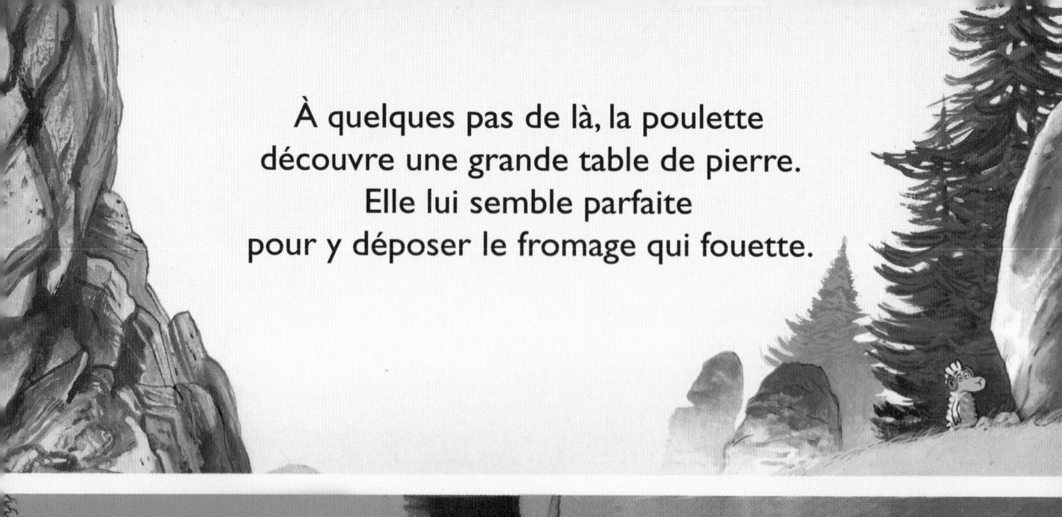

À quelques pas de là, la poulette
découvre une grande table de pierre.
Elle lui semble parfaite
pour y déposer le fromage qui fouette.

Carmélito et sa sœur Carmen
ont leur petit cœur rempli de bonheur.
Ça fait souvent ça
quand on a aidé un ami…

La nuit à la belle étoile promet d'être calme.
La température est un peu fraîche,
alors les trois inséparables se serrent pour se tenir chaud.

Pendant ce temps, au plus profond de la forêt,
deux guerriers trolls s'avancent à pas lents,
l'œil aux aguets. Ils sont à la recherche
d'une prodigieuse peau de mouton : la Toison d'or !
– On ne devrait plus être loin de la contrée
des Pierres levées, grogne le troll poilu.

– Par les dents pourries de Cromelech notre roi !
glapit le troll velu. J'me rappelle plus
ce qu'on est venus chercher…
– Une peau de mouton en or ! rugit le dentu.
Tous les mille ans, elle apparaît sur une table de pierre magique,
au premier rayon de lune.
Quand nous l'aurons trouvée, nous serons riches !
– Mais… pour quoi faire ? On est déjà très riches !
– On n'est jamais assez riche, imbécile !

Pick et Nick, les frères hérissons
qui attendaient patiemment que les trois amis
soient endormis, escaladent la table de pierre.

– Un vrai Kipu fermier moulé à la louche !
s'extasie le cadet par l'odeur alléché.
– Nan ! L'aîné d'abord ! menace Pick.

Nick n'a même pas le temps d'y planter une dent
qu'il est illico transformé en or.

Pick regarde sans comprendre son frérot changé
en pelote d'épingles pour riches.
Touché à son tour par le rayon de lune, le voilà lui aussi
qui se retrouve tout en or.

À deux pas de là, Bélino est brutalement tiré
de son sommeil par des gémissements.
C'est son ventre qui crie famine !
– Comment calmer cette violente fringale en pleine nuit ?
s'inquiète le presque mort de faim.

Heureusement, une odeur familière
vient lui titiller les naseaux.
– L'arôme sans pareil d'un amour de fromage…,
murmure Bélino en quittant sa couche.

– À table !

– Mmmm !

Réveillés avec le soleil,
Carmen et Carmélito ont une désagréable surprise :
leur ami Bélino n'est plus là !
Ils ont beau chercher, fureter, fouiller le moindre recoin,
Bélino reste introuvable !

– Le plus incroyable, dit Carmélito,
c'est qu'il soit parti sans son fromage…

– Et si les bergers du roi avaient osé venir ici durant la nuit et l'avaient emmené ? s'écrie soudain Carmen. Vite ! retournons à la ferme !

En chemin, quelle surprise !
Ils croisent deux vieilles connaissances.
– Pick et Nick... en or massif !
Ça alors !

Les deux hérissons, qui se souviennent
d'avoir été utilisés comme balles de golf par Carmen*,
se mettent à trembler des aiguilles.
– Mais... On n'a rien fait!

Carmélito demande aux chenapans
s'ils n'auraient pas aperçu leur copain Bélino.
– Bien sûr qu'on l'a vu! raconte Pick.
Comme nous, il a été frappé par un étrange rayon de lune
alors qu'il mettait les pieds sur la table.
En un éclair, il s'est retrouvé avec...
une toison d'or!

* Lire: *Le jour où mon frère viendra.*

– Ensuite, ç'a été terrible ! poursuit le cadet.
Deux abominables trolls ont jailli de nulle part !
Ils ont glissé Bélino dans un sac en disant qu'ils adoraient
le gigot de mouton et qu'ils le mangeraient plus tard…
– Des trolls ! Nom d'une poule ! Il est perdu !
s'écrient Carmen et Carmélito.

– La vérité si je mens ! jurent les hérissons.

– Bon, ben, on vous laisse…
On file à Versailles ! À nous la vie de château.
Salut, les ploucs !

Comment arracher Bélino des griffes
de ces abominables monstres ?
Pour la première fois, Carmen et Carmélito
se sentent impuissants.
Ils décident de retourner au poulailler chercher des renforts.
Avec l'aide de tous, peut-être arriveront-ils
à délivrer leur copain…

Les habitants du poulailler sont bouleversés
en apprenant l'effroyable nouvelle.
Comment ? L'ami Bélino, le doux, l'aimable, le dévoué,
le gentil, le joyeux, le serviable, le sensible Bélino
aurait été enlevé et dévoré par des trolls !?

Pédro le Cormoran console comme il peut
Carmen et Carmélito, qui pleurent leur ami disparu.

Le petit coq rose se souvient avec émotion
de tous les moments formidables qu'ils ont partagés.

– Comment je vais pouvoir vivre sans toi, Bélino ?

Coquenpâte se mouche d'un revers de patte et dit :
– On ne peut pas rester à pleurer comme ça
sans rien faire, les gars !
Bélino est peut-être encore vivant !

Le vieux Pédro demande le silence.
– Coquenpâte a raison, mes enfants !
Sachez que les trolls ne brillent pas par leur intelligence.
D'ailleurs, ces créatures de la nuit ont deux points faibles.
D'abord, ils aiment l'or par-dessus tout !
Leurs coffres regorgent de richesses, mais il leur en faut
toujours plus ! La seule vue du métal précieux
les rend complètement frappadingues !

– Quant à leur second point faible, poursuit le cormoran,
c'est le soleil ! La lumière leur est fatale !
Ils sont obligés de vivre la nuit et de dormir le jour
sous peine d'être transformés en pierres levées !
À l'heure qu'il est, ils doivent ronfler non loin d'ici !

En entendant ces mots,
les p'tites poules reprennent courage.
– Rattrapons-les ! s'écrie Carmélito ragaillardi.
Tout espoir n'est pas perdu.

– Ouais ! Allons-y ! lance Bangcoq en bombant le torse.
Moi, les trolls, j'en fais de la chair à saucisse !

Tout le monde cherche comment venir au secours de Bélino.
Dans la tête de Carmen, les idées se bousculent.
– Il faut commencer par s'approcher d'eux
sans se faire croquer…
Ensuite, on détourne leur attention en… en…
en leur montrant de l'or, bien sûr !
Oui, c'est ça ! Beaucoup d'or ! Des montagnes d'or !

Le plan de Carmen est audacieux.
Mais… les p'tites poules ne possèdent rien!
Juste quelques œufs…
Où trouver le métal précieux qui rendra les trolls complètement mabouls?

– Ouyouyouille! gémit Coquenpâte.
C'est dur de réfléchir quand on n'a pas l'habitude…
J'ai la migraine.

– J'ai trouvé ! s'exclame tout à coup Carmen.
Les arbres aux fruits d'or dans le verger du roi !
– Heeuuu… On ne comprend rien, mais je te fais confiance,
dit le grand frère.

– Carmélito ! Pendant que tu suivras la piste des trolls
avec Coqueluche, Molédecoq et Coquillette,
moi je filerai à Versailles ! J'aurai besoin de deux costauds :
Bangcoq, Coquenpâte, avec moi !…

… Les amis ! Jurons d'unir nos forces
pour sauver notre copain Bélino !

Un poule tous, tous poule un !

Il ne faut pas bien longtemps à Carmélito
pour repérer les traces des kidnappeurs…

… tandis que sa petite sœur
arrive en vue du jardin royal.

Bientôt, Carmen et ses aides secouent les citronniers
de Sa Majesté comme des pruniers.
– C'est beau, mais c'est pas bon ! grimace Coquenpâte.
– Ce sont des fruits très rares…
Le roi les a fait venir d'Orient, lui répond la poulette.

Au plus sombre de la forêt,
bien à l'abri des rayons mortels du soleil,
les guerriers trolls se sont endormis.
Carmélito et ses copains ont le sang qui se glace.
Parmi les restes du repas des monstres
il y a… des os ! Non ! Ce serait trop affreux…

Soudain, Coqueluche, qui est aussi allergique aux poils,
sent monter une terrible envie d'éternuer.

Réveillés en sursaut, les deux trolls
bondissent sur leurs pattes.
– Par les grandes oreilles de Cromelech le Baveux !
gronde le branchu.
On est attaqués par des poulets !

– Qu'avez-vous fait à mon meilleur ami ?!
hurle Carmélito, tout en frappant l'ennemi avec courage.
Tiens, prends ça, cannibale !

C'est alors que monte de la besace des monstres
un gémissement familier, reconnaissable entre tous !

– BÉLINO !

Mais les monstres leur barrent le chemin.
– Un pas de plus et on vous bouffe !
rugit le fessu.

La petite Carmen, qui assistait à la scène
cachée derrière un fourré, se dit qu'il est temps d'intervenir.
Elle s'approche en criant :
– Qui veut des œufs d'or ?
Ils sont beaux, ils sont beaux, mes œufs d'or !
Qui n'en veut de mes beaux œufs ?

À ces mots, les trolls se figent
et contemplent les paniers, la bave aux lèvres.
– Petite, où as-tu trouvé ces trésors ? demande le pansu
avec convoitise.

– Ces œufs sont à moi, répond Carmen avec malice.
Je suis la Poule aux œufs d'or !
J'en ponds une bonne centaine par jour.
Et c'est un vrai souci, messieurs :
ces œufs en or, on ne peut rien en faire…

– Nous, on veut bien t'en débarrasser,
s'écrient les trolls, qui avancent déjà leurs mains
gluantes vers les citrons.

– Pour ça, il faudra d'abord m'attraper !
lance Carmen, avant de filer comme une anguille
à travers bois.

– Cette fois, on te tient, sale gamine !

Erreur fatale ! Emportés par leur élan,
les trolls ne peuvent stopper leur course
et débouchent dans la clairière.
– Aaaaah ! Les rayons du soleil !
hurlent en chœur les monstres de la nuit

Aux pieds, les poulets ! L'or n'est pas un jouet !

Sa sœur ayant astucieusement détourné
l'attention des kidnappeurs,
Carmélito se précipite pour délivrer le petit bélier.

– CARMÉLITO !

– BÉLINO !

– J'ai bien cru ne jamais te revoir, mon poulet !

– Tu n'as rien ? Tout va bien, mon belin ?

– Enfer et crotte de poule ! s'écrie Coqueluche
en découvrant la toison de son copain.
Tu resplendis comme un soleil !

– Un méchant rayon de lune magique
qui ne brille qu'une nuit tous les mille ans
a transformé ma laine en or...,
répond Bélino d'un air penaud.
C'est moche et ça pèse un âne mort, ce truc.

Puis le petit bélier miraculé serre contre lui Carmen,
qui vient de lui sauver la vie.
– Ma crevette, t'es la plus chouette des poulettes.

Quant à Coquenpâte, il raconte ses exploits
sous l'œil admiratif des autres p'tites poules.
– … et alors, le troll s'est jeté à mes pieds en me suppliant :
« Pitié, Coquenpâte ! J'ai une femme et des gosses ! »

Bélino est cajolé, chatouillé, embrassé, bécoté, enlacé, patouillé…
Tous veulent lui montrer leur affection.
– Mon bonheur serait complet, dit Bélino,
si je n'avais pas cette satanée carapace d'or sur le dos !
Hier, vous m'avez évité la tonte.
Eh bien, aujourd'hui, rien ne me ferait plus plaisir
que de retourner chez le coiffeur !

Un peu plus tard, à la ferme…

« Il faut qu'un mouton, un mouton soit tondu.
Approche, mon mignon, tu es le bienvenu.
Encore un mouton, un mouton de tondu,
la la qu'il est moche, maintenant qu'il est tout nu. »

Tandis que Pick et Nick,
qui ont servi de cure-dents de luxe à la Cour du roi,
rentrent tout penauds de Versailles…

… c'est l'instant des serments qui durent toute la vie.
– On sera toujours copains, hein, Bélino ?
– Je te le promets ! répond le petit bélier.
Même que si un jour t'es plus mon copain,
eh ben moi, je *mourre* !

Après un long silence, une pensée lui traverse l'esprit.
– Je me demande ce qu'est devenue ma toison d'or…

À Versailles…

– Merci, gentils bergers, dit Louis XIV.
Elle me sied à merveille !

Et c'est à compter de ce jour qu'il se fit appeler
en toute modestie : le Roi-Soleil.